Adapté de l'épisode *L'audition* d'après un scenario original
de Madellaine Paxson.
Auteurs de la bible littéraire :
David Michel et Jean-Louis Vandestoc.
Réalisée par Jean-Louis Vandestoc.
Création des personnages principaux : Bertrand Todesco

LoliRock © 2013 Marathon Media MFP
Avec la participation de France Télévision
et The Walt Disney Company France

© 2015 Hachette Livre, pour la présente édition.

Novélisation : Vanessa Rubio.
Conception graphique du roman : Lorette Mayon.

Hachette Livre, 58 rue Jean Bleuzen, 92178 Vanves Cedex.

Le pouvoir de l'amitié

Le pouvoir de l'amitié

hachette
JEUNESSE

Iris

La vie d'Iris change complètement
le jour où elle découvre qu'elle est
la princesse du royaume magique
d'Ephédia! Elle se bat alors pour
reprendre le trône, tout en s'adonnant
à sa passion pour le chant au sein
de son groupe: LoliRock!

Auriana

C'est l'héritière du trône de Volta !
Cette jeune princesse très extravertie
n'a pas mis longtemps à s'adapter
à la vie sur notre planète: elle adore
toutes les activités humaines et,
particulièrement, le shopping !

Talia

C'est la princesse de Xéris, le royaume
le plus sérieux d'Ephédia ! Envoyée sur
Terre avec Auriana pour entraîner Iris,
Talia prend sa mission très à cœur.
Et pour cause, elle ne supporte pas
les humains, trop frivoles à son goût !

Amaru

Cette espèce de petit chat au pelage mauve venu d'Ephédia est le seul capable de faire apparaître l'arène de combat qui permet aux princesses d'affronter leurs ennemis. Il peut également se transformer en un gigantesque cheval ailé !

Gramorr

Cet horrible personnage s'est emparé
du trône d'Ephédia lorsque Iris
n'était encore qu'un bébé. Mais pour
prendre définitivement le pouvoir,
il lui faut retrouver toutes les pierres
de la couronne royale...

Praxina

Méphisto

Ces jumeaux maléfiques travaillent pour Gramorr, coincé à l'intérieur du palais à cause d'un sort lancé par la reine avant sa disparition. Leur mission ? Retrouver les saphirs d'Ephédia avant Iris !

Un don mystérieux

1

Si, un jour, vous passez par le joli port de Sunny Bay, allez donc faire un tour au *Smoothie Bar* de Nathaniel. Ce garçon charmant a toujours le sourire, et ses jus de fruits mixés sont les meilleurs de la ville. C'est le remède idéal quand on n'a pas le moral !

Justement, aujourd'hui, la jeune fille, qui est perchée sur l'un des grands tabourets du bar, a l'air complètement déprimée. La tête dans les mains, elle gémit :

– Tu te rends compte, Nat ! C'est le troisième petit boulot que je perds en un mois !

– Allez, Iris, ce n'est pas la fin du monde ! Tu en trouveras d'autres, des baby-sittings ! lui assure-t-il.

Pour la réconforter, Nathaniel lui sert une tasse de chocolat fumant. Avec la crème, il a dessiné une note de musique à la surface. Et dans la soucoupe, il a ajouté un petit macaron à la fraise et un autre au chocolat, les parfums préférés d'Iris.

Pourtant, ça ne suffit pas à la faire sourire. Elle se cache sous sa cascade de boucles blondes.

– J'ai eu tellement honte… Quand j'ai voulu chanter une berceuse à Nina pour l'endormir, tous ses jouets se sont mis à danser dans les airs ! Sa poupée, son ours en peluche, même son cheval à bascule et sa dînette ! Tu imagines ?

Son ami sourit.

– Je parie que ça lui a beaucoup plu !

– Oui, mais sa mère n'a pas appré-cié le bazar. Lorsque je me suis tue, les jouets sont retombés brutalement. On aurait dit qu'un ouragan avait dévasté la chambre !

La jeune fille pousse un soupir.

– Qu'est-ce que je vais faire ?

Iris regarde autour d'elle pour s'assurer que personne ne l'écoute, mais, à cette heure-ci, les clients ne sont pas nombreux. Alors elle se penche en avant et chuchote :

– Tu sais, Nat, chaque fois que j'ouvre la bouche pour chanter, il se passe quelque chose d'étrange. Je me souviens, quand j'étais petite, un jour, je fredonnais dans mon bain… et il a débordé ! Toute la pièce était inondée !

Nathaniel secoue la tête. Il pense qu'elle exagère un peu.

– Arrête, Iris ! Éclabousser le tapis de bain en jouant, ça arrive à tous les enfants !

Iris poursuit, obstinée :

– Non, ce n'est pas normal ! Tiens, l'autre matin, je chantais devant mon miroir, et il s'est mis à tournoyer comme un fou. Il a failli exploser !

Le garçon hausse les épaules.

– Bah, tu te donnes à fond, c'est tout !

– Et quand j'ai voulu chanter au bord du lac et qu'il a gelé en plein été, hein ?!

Il éclate de rire.

– Je m'en souviens… C'était trop drôle ! Les canards ne pouvaient plus nager, ils étaient furieux. Mais tu n'as rien à voir là-dedans, il y a eu une tempête de glace, tout simplement.

La jeune fille fronce les sourcils. Elle n'a pas l'air de trouver ça amusant.

– Pauvres petits canards ! Je ferais mieux d'arrêter de chanter, ce n'est pas pour moi.

Là, Nathaniel jette son torchon sur le bar, énervé. Il s'emporte :

– Enfin, Iris, comment peux-tu dire ça ? Tu as une voix magnifique !

Il lui tend un prospectus plein d'étoiles multicolores.

– Justement, quand j'ai vu cette annonce sur le panneau d'affichage du café, j'ai pensé à toi, ajoute-t-il.

– « Cherche chanteuse pour groupe de rock », lit Iris à haute voix. Oh ! Les auditions ont lieu aujourd'hui !

Elle sourit, pensive… Faire partie d'un groupe, elle en a toujours rêvé ! Mais aussitôt son sourire s'évanouit. Elle rend le papier à Nathaniel en expliquant :

– J'adore chanter… seulement je ne peux pas. Il risque encore d'arriver un truc bizarre.

– Et alors? réplique le garçon. Il y a deux choses que je sais à ton sujet. Premièrement, tu *es* bizarre…

Iris fait la grimace, mais il poursuit:

– Et deuxièmement, c'est quand tu chantes que tu es la plus heureuse.

Des larmes perlent dans les longs cils d'Iris. Elle secoue la tête.

– Merci, Nat, mais c'est impossible.

Alors qu'elle quitte le *Smoothie Bar*, bouleversée, Nathaniel lui court après pour lui glisser le papier au creux de la main.

– Promets-moi au moins d'y réfléchir, Iris !

Il est tellement craquant avec ses yeux bleus qui pétillent… Elle ne peut pas dire non ! Alors elle murmure :

– D'accord…

2

L'audition

Tout en marchant dans les rues de Sunny Bay, Iris repense à ce que vient de lui dire Nathaniel. C'est son meilleur ami, il la connaît si bien ! Il a raison : elle adore chanter… et elle a toujours rêvé de faire partie d'un groupe de rock.

Mais non, c'est trop dangereux. Il y a quelque chose qui cloche chez elle, elle le sent. Dès qu'elle ouvrira la bouche, une catastrophe se produira encore !

Iris se mord les lèvres pour ne pas pleurer. Elle ne sait vraiment plus quoi penser ! Alors elle va trouver refuge sur le ponton de bois qui surplombe le lac. De toute la ville, c'est son endroit préféré, son petit coin tranquille.

Au bord de l'eau scintillante, elle sort le prospectus de sa poche : les auditions ont lieu aujourd'hui, dans une salle de spectacle, non loin de là. Elle en a tellement envie… Et après tout, si elle n'essaie pas, elle ne saura jamais ! En serrant son pendentif porte-bonheur au creux de sa main,

Iris ravale ses larmes et sourit: c'est décidé, elle va tenter sa chance !

Quand elle arrive, il y a une queue immense devant la salle de spectacle. Ce n'est pas le moment de se laisser intimider ! Iris prend sa place dans la file et attend, la gorge nouée

d'angoisse. Toutes les filles ont l'air tellement sûres d'elles... Certaines ont même déjà une tenue de scène, un look de rockeuse. Iris baisse les yeux sur sa petite robe bustier rose, avec un nœud sous la poitrine. C'est simple, mais joli. De toute façon, elle n'a pas le temps de rentrer se changer. Et après tout, ce n'est qu'une audition, pas un concert.

En pénétrant dans les coulisses, elle entend les filles qui passent sur scène. Iris fait la grimace. Ouh là, celle-ci, on dirait un chat qui miaule parce qu'on lui écrase la patte ! Et la suivante, c'est pire… elle a une voix de porte qui grince !

En fin de compte, elle a peut-être une chance d'être choisie. Son cœur bat à tout rompre. Encore une candidate, et ce sera à elle !

Iris jette un coup d'œil dans la salle de spectacle. C'est un vrai théâtre, avec une grande scène, des rideaux épais et des fauteuils recouverts de velours. De quoi vous donner le trac !

Elle aperçoit les deux filles qui font passer les auditions, assises au premier rang. Elles ne sont pas beaucoup plus âgées qu'elle, mais visiblement elles prennent leur travail très au sérieux ! Un petit animal qui ressemble à une sorte de chat au pelage mauve est assis sur la table, juste devant elles. Il se bouche les oreilles en couinant. En effet, la candidate qui est sur scène chante comme une casserole !

L'une des filles, qui a une longue queue-de-cheval auburn et des bijoux rigolos, l'arrête en levant la main.

– C'est bon, merci ! Hum… On vous rappellera si on est intéressées.

L'autre, beaucoup plus sérieuse avec ses lunettes carrées et son épaisse frange brune, murmure, exaspérée :

– Mais on n'est pas intéressées, Auriana.

– Arrête d'être si négative, Talia. Peut-être que si…

Tandis que la jeune candidate quitte la scène, terriblement vexée, Talia soupire.

– Tu plaisantes ? Allez, on en a assez vu dans cette ville ! On va faire passer des auditions ailleurs.

– Mais on vient tout juste d'arriver à Sunny Bay ! proteste Auriana.

Talia secoue ses longs cheveux raides.

– Tu as entendu comme moi, non ? On a eu une jeune fille à la voix de casserole, celle qui se prend pour une cantatrice, la timide qui marmonne… Elle n'est pas ici, c'est sûr.

Iris se dit que c'est le moment ou jamais d'entrer en scène. Elle s'avance discrètement et toussote.

– Hum, hum…

Mais Auriana et Talia sont tellement occupées à se disputer qu'elles ne l'entendent pas.

– On n'a auditionné qu'une dizaine de filles... proteste Auriana. Il y en a plein d'autres, en ville !

– Si elles sont toutes aussi nulles, mes tympans ne s'en remettront pas ! réplique son amie.

Le petit animal sautille sur la table pour attirer leur attention sur Iris.

– Qu'est-ce qu'il y a, Amaru ? demande Auriana.

Il tend la patte vers la scène, où Iris attend, un grand sourire aux lèvres.

– Salut ! Je suis là pour l'audition.

Auriana se cale dans son fauteuil, agitant sa couette flamboyante avec enthousiasme.

– Génial ! Vas-y ! Prends le micro.

Iris hésite. Le micro, orné d'un cœur rose, brille de mille feux ! Elle n'a jamais rien vu de pareil.

Elle s'éclaircit la voix en parcourant des yeux la partition qu'on lui a donnée. Une chanson sur l'amitié, parfait !

Talia est déjà prête à se boucher les oreilles, mais quand Iris ouvre la bouche et se met à chanter, elle se détend. Elle a une voix magnifique !

Talia n'a plus du tout envie de partir. Auriana et elle ont peut-être trouvé celle qu'elles cherchaient...

Le micro de cristal projette une lueur scintillante dans toute la salle. Talia, Auriana et Amaru contemplent la scène, ébahis par le spectacle. Iris rayonne, c'est magique ! Elle prend de l'assurance et chante encore plus fort. Elle a le bon rythme, elle chante juste, sa voix est claire, vibrante d'émotion.

Être sur scène la rend heureuse. C'est comme si le temps s'était arrêté et que rien d'autre n'avait d'importance !

Mais soudain, la puissance de sa voix, amplifiée par le micro magique, ébranle tout le théâtre. Un vrai tremblement de terre !

Les fauteuils volent en éclats. Les lustres explosent. Des morceaux de plâtre tombent du plafond. Amaru se

réfugie sous le bureau de peur d'être
écrasé !

Iris s'arrête net, horrifiée. Les
lueurs multicolores s'éteignent d'un
seul coup. *Oh non, ça a recommencé !*
Elle court sur le devant de la scène en
balbutiant des excuses :

— Ça va ? Je suis désolée, je ne vou-
lais pas…

Puis elle fond en larmes et prend la fuite, affreusement gênée. Sa voix a encore provoqué un désastre ! Elle n'aurait jamais dû se présenter à cette audition.

3

Le pouvoir
du chant

Choquée par ce qui vient de se passer, Iris court, court, court droit devant elle. Elle traverse la ville sans s'arrêter. Ses boucles blondes flottent dans son dos. À son cou, son pendentif en forme de cœur brille d'un étrange éclat.

Enfin, hors d'haleine, Iris est obligée de s'adosser à un réverbère pour reprendre son souffle. C'est alors qu'une sorte d'éclair tombe soudain du ciel. Le lampadaire se brise, manquant l'assommer.

Elle l'a échappé belle !

– Raté ! gronde une voix surgie de nulle part.

Affolée, Iris lève la tête. Un garçon et une fille aux cheveux prune fendent les airs comme des super-héros avec leurs grandes capes noires volant au vent ! Sauf qu'ils ont l'air sinistre… et qu'ils la bombardent de cristaux rouges et verts !

Iris détale, s'efforçant d'esquiver leurs projectiles, mais ils détruisent méthodiquement tout ce qui se trouve autour d'elle. Quel cauchemar ! Elle se jette à terre pour éviter les éclats, puis se relève d'un bond et s'enfuit à toutes jambes, complètement paniquée.

Elle tourne dans une ruelle, vite, vite… et se retrouve face à un mur. C'est une impasse ! Elle est coincée !

Ses deux agresseurs la rejoignent en ricanant.

— C'est beaucoup plus facile que je ne l'imaginais, commente le garçon avec un sourire mauvais.

– Normal, elle n'a aucun entraîne-
ment, affirme la fille sur un ton
méprisant.

Mais alors qu'elle tend le bras pour
envoyer un nouveau jet de cristal, une
voix résonne dans la ruelle :

– Si tu tiens à la vie, chante !

Iris lève les yeux vers le ciel et
découvre un splendide cheval ailé.
Les deux filles de l'audition, Talia et

Auriana, sont sur son dos ! Sauf qu'elles n'ont plus la même allure… Leurs cheveux ont changé de couleur et leurs tenues sont complètement différentes ! Talia est tout en bleu et arbore une chevelure bleu glacé ! Quant à Auriana, elle est en orange et sa queue-de-cheval est rousse ! Leurs robes scintillent. Elles sont si belles, on dirait des fées !

– Fais-nous confiance ! insiste Talia.

Iris cligne des paupières, elle n'en croit pas ses yeux… mais elle n'a pas vraiment le choix. Alors elle prend une profonde inspiration et entonne la chanson de l'audition.

La chanson d'Iris fait aussitôt apparaître une grande fleur de cristal rose, qui bloque les cristaux rouges et verts, avant d'exploser. Les éclats se dirigent droit sur le duo maléfique, obligé de reculer.

– Aïe! gémit le garçon. Tu as vu, sœurette? Elle nous attaque!

– Arrête de pleurnicher, Méphisto! ordonne la fille. Il faut qu'on l'attrape, sinon Gramorr va être furieux!

Juchée sur le cheval ailé, Talia lève la main et envoie à son tour des cristaux bleus sur le trottoir. La violence de l'impact projette Méphisto et sa sœur à terre.

Le cheval ailé en profite pour se poser près d'Iris. Talia lui tend la main.

– Viens, Iris!

– Comment connaissez-vous mon nom ? s'étonne-t-elle.

– Ça fait longtemps qu'on te cherche, affirme Auriana.

Iris monte en selle derrière elle, et les trois filles s'envolent sur le dos du cheval magique, abandonnant Méphisto et Praxina au milieu des décombres.

4

Une grande révélation

Le cheval ailé survole la côte de Sunny Bay et se pose à l'entrée d'une grotte. Talia et Auriana sautent à terre… mais quand Iris veut les imiter, elle glisse et tombe lamentablement !

Elle se relève tant bien que mal en s'époussetant. Elle a beau être toujours de bonne humeur, cette histoire commence à lui porter sur les nerfs. Elle croise les bras, agacée.

– Bon, vous allez me dire ce qui se passe ? Qui sont ces deux fous qui m'ont attaquée ? Et, surtout, pourquoi dès que je chante, il se produit… euh… des choses étranges ?

Sous ses yeux ébahis, le cheval volant replie ses ailes transparentes, rétrécit, rapetisse… et, dans un éclair, prend l'apparence du chat bizarre qu'elle a vu à l'audition.

Iris le montre du doigt en bégayant :
– Et… et *ça*, c'est quoi ?

Auriana serre tendrement la bestiole contre son cœur.

– Ça, c'est Amaru !

Iris hausse un sourcil.

– Bon, voilà déjà une réponse…
Enfin, plus ou moins, grommelle-
t-elle…

Les deux filles n'ont décidément
plus rien à voir avec celles qui lui ont
fait passer l'audition tout à l'heure.
Elles portent de magnifiques tenues
– bleue et brodée de losanges pour
Talia, orange et ornée de lunes pour

Auriana –, rallongées d'une longue traîne en voile scintillant de la même couleur. Avec leurs bottes hautes, leurs bijoux aux pierres étincelantes et leurs longs cheveux, on dirait de vraies princesses !

Iris n'y comprend plus rien !

Talia la regarde droit dans les yeux et déclare sur un ton solennel :

– Nous t'avons amenée ici pour répondre à toutes tes questions. Ça va te sembler incroyable, mais tu es promise à un grand destin. Tu dois te préparer à…

– Assez de bla-bla ! la coupe Auriana, toujours impatiente. On ferait mieux de lui montrer !

Elle brandit alors son ruban magique comme une baguette. La grotte s'illumine et un décor somptueux apparaît en hologramme. Iris regarde autour d'elle, éblouie.

– Waouh ! Où sommes-nous ?

– Au palais royal d'Ephédia. Cette projection te permet de voir des événements du passé, explique Talia. Hum… C'est ici que tu es née.

Iris écarquille ses grands yeux bleus.

– Hein ? Tu plaisantes !

Auriana secoue la tête.

– Pas du tout. Primo, Talia ne plaisante jamais. Et secundo, tu viens vraiment du royaume magique d'Ephédia ! C'est dans ce palais que vivaient le roi et la reine avant l'arrivée de Gramorr.

Une créature sombre, dissimulée sous un masque de fer, surgit alors. Elle tend la main vers la couronne, dont les joyaux se volatilisent aussitôt.

– Cet ignoble personnage a attaqué le palais pour monter sur le trône, poursuit Auriana. Mais lorsqu'il a voulu s'emparer de la couronne de la reine, il s'est aperçu qu'elle était protégée par une force secrète.

Talia enchaîne :

– Les saphirs d'Ephédia qui l'ornaient ont été dispersés sur Terre. Le charme a également opéré sur Gramorr, qui s'est retrouvé emprisonné dans la salle du trône. C'est pourquoi il a envoyé Méphisto et Praxina les chercher à sa place.

Auriana toussote.

– Hum… Les saphirs d'Ephédia ne sont pas les seuls à avoir été envoyés sur Terre…

Une autre image surgit dans le fond de la grotte : la reine

d'Ephédia serre dans ses bras un bébé qui porte un pendentif en forme de cœur autour du cou. Exactement comme celui d'Iris !

Les yeux écarquillés, celle-ci s'exclame :

– C'est moi ?

– Oui, Iris. C'est toi, confirme Talia.

– Tu étais troooop mignonne ! s'écrie Auriana.

En hologramme, la reine berce la petite Iris en murmurant: «Cela me brise le cœur de savoir que je ne te verrai pas grandir… Mais c'est la seule façon d'assurer ta sécurité.»

Iris laisse échapper un petit cri de surprise.

– Si c'est moi, ça veut dire que…

– Tu es la princesse héritière du trône d'Ephédia, complète Talia. Tu as été envoyée sur Terre pour échapper à Gramorr, en attendant que tu sois assez grande et forte pour utiliser tes pouvoirs contre lui.

Auriana sautille sur place, surexcitée.

– Et nous, nous sommes là pour t'entraîner!

Autour d'elles, l'hologramme se brouille avant de disparaître.

Complètement abasourdie, Iris bafouille :

– Alors je-je… je suis une princesse venue d'un royaume magique… J'ai été adoptée par tante Ellen, mais mes vrais parents étaient roi et reine. Que leur est-il arrivé ?

Talia soupire :

– Personne ne le sait. Ce qui est sûr, c'est que nous allons t'apprendre à utiliser tes pouvoirs magiques pour vaincre Gramorr.

Iris porte la main à sa gorge, totalement perdue.

– Quels pouvoirs ? Vous voulez dire ma voix ?

– Ce n'est que l'un de tes pouvoirs, le plus évident, explique Talia. Il faut que tu t'exerces à le contrôler.

Auriana esquisse un pas de danse.

– C'est ta voix magique qui prouve que tu viens d'Ephédia, alors on s'est dit que la meilleure façon de te retrouver sur Terre, c'était de faire passer des auditions. Qu'est-ce qu'on a rigolé !

Talia lève les yeux au ciel. Visiblement, elle ne s'est pas autant amusée que son amie.

– Les saphirs d'Ephédia nous permettront de retourner sur notre planète et d'af- fronter Gramorr, mais seulement quand tu seras prête, reprend-elle.

— Et où sont-ils ?

Auriana hausse les épaules.

— Aucune idée ! Je sais juste qu'on a intérêt à mettre la main dessus avant Méphisto et Praxina. En effet, les saphirs qu'ils trouveront deviendront maléfiques. En revanche, chaque pierre que nous récupérerons aura des pouvoirs bénéfiques. C'est à celui qui en aura le plus !

— C'est toi qui vas nous guider, affirme Talia. Ta bonté et ton sens de la justice nous aideront à les retrouver.

Ça fait beaucoup de révélations d'un seul coup ! Bouleversée, Iris se laisse tomber sur un rocher, la tête entre les mains, et soupire :

— Qu'est-ce que je vais dire à tante Ellen ?

– Rien. Tu ne dois révéler ton identité à personne. C'est un secret! répond Talia.

– Même pas à mon meilleur ami? s'étonne Iris.

Talia secoue la tête.

– Non, ça le mettrait en grand danger…

Au travail !

De retour à Sunny Bay, Iris décide
d'inviter ses nouvelles amies – qui ont
repris leur apparence normale – chez
sa tante. Quand elles arrivent, Ellen
est en train de planter des fleurs dans
son jardin.

Iris lui saute au cou et l'embrasse
tendrement, heureuse de la retrouver

après tout ce qu'elle vient de vivre. Puis elle fait les présentations :

– Tante Ellen, voici Talia et Auriana, mes correspondantes. Comme la maison est grande, je me suis dit qu'elles pourraient habiter avec nous ! Qu'est-ce que tu en penses ?

Toujours très enthousiaste, Auriana tend les bras, comme pour lui faire un câlin.

– Bonjour, tante Ellen ! Je suis tellement contente qu'on soit copines !

Talia la regarde faire, horriblement gênée. Mais comme son amie lui donne un coup de coude, elle bredouille à son tour :

– Hum… euh… bonjour, mad… euh… tante Ellen.

– Alors elles peuvent rester, dis ? insiste Iris en battant des cils.

Sa tante relève le bord de son grand chapeau de paille et sourit.

– Des correspondantes ? Formidable !

Elle ajoute en articulant exagérément pour bien se faire comprendre :

– D'où ve-nez-vous, mes-de-moi-sel-leuh ?

– Xéris, répond Talia.

– Volta, enchaîne Auriana.

Tante Ellen secoue la tête, perplexe.

– Ah… je suis pourtant calée en géographie, mais…

Iris s'empresse d'intervenir :

– Ce sont de minuscules pays dont personne n'a jamais entendu parler.

– En tout cas, bienvenue à Sunny Bay ! déclare sa tante. J'espère que vous pourrez apprendre quelques mots de votre langue à Iris.

Talia acquiesce vigoureusement.

– Oh oui, on va beaucoup lui apprendre !

– Et on va s'y mettre tout de suite, décrète Iris en les entraînant à l'intérieur. Venez, je vais vous faire visiter !

Dans la chambre d'Iris, Auriana se sent immédiatement chez elle. Elle se jette sur le grand lit à baldaquin avec Amaru.

– Waouh ! La classe, ton lit… Un vrai lit de princesse ! Et super moelleux, tes coussins !

Talia secoue la tête d'un air réprobateur avant de s'asseoir bien droite sur un pouf.

– Je te rappelle qu'on a du travail !

– Bon, par quoi on commence ? demande Iris.

– On va activer ton pendentif, annonce Talia.

– Faire *quoi* à mon *quoi*? s'étonne Iris.

Auriana désigne le collier qu'elle porte autour du cou.

– Ton pendentif en forme de cœur, il a des pouvoirs ! Une fois activé, il t'aidera à revêtir ta tenue magique.

Iris, qui est folle de mode, a les yeux qui brillent.

– Parce que j'ai une tenue magique, moi ?

– Comme nous toutes, confirme Talia. Quand on t'a secourue, tout à l'heure, on portait les nôtres. Elles renforcent nos pouvoirs. Allez, vas-y, maintenant, présente-toi !

Iris prend une grande inspiration et se lance :

– Euh… bonjour, mon nom est Iris et je viens d'un joli pays qui s'appelle Ephendria.

Alors que Talia fait la grimace, Auriana adresse à Iris un sourire encourageant.

– Pas mal. Mais fais plus court… « Iris, princesse d'Ephédia », ça suffira. Et surtout, mets-y un peu plus d'énergie, hein ? Tu dois terrifier l'ennemi ! ajoute-t-elle en levant le poing.

– Ah bon ? OK…

Iris gonfle la poitrine, fronce les sourcils, prend un air féroce et hurle :

– Iris, princesse d'Ephendria !

Rien ne se passe.

Talia toussote.

– Hum… C'est « E-phé-dia ».

Iris devient toute rouge.

– Ah, zut… D'accord.

Elle se concentre et rugit :

– IRIS ! PRINCESSE D'EPHÉDIA !

Toujours rien. Elle tapote son pendentif.

– Vous êtes sûres qu'il marche, ce truc ?

Talia la rassure :

– Oui, bien sûr. Tu dois juste apprendre à l'activer.

Iris tape du pied, agacée.

– Je n'y arrive pas ! Peut-être que je ne suis pas vraiment la princesse d'Ephémachin !

– Ephédia, corrige Talia.

Iris fait la moue, boudeuse.

– Vous voyez ? Je n'arrive même pas à prononcer le nom de mon royaume correctement ! Si ça se trouve, vous vous êtes trompées de personne.

Adapté de l'épisode *L'audition* d'après un scenario original
de Madellaine Paxson.
Auteurs de la bible littéraire :
David Michel et Jean-Louis Vandestoc.
Réalisée par Jean-Louis Vandestoc.
Création des personnages principaux : Bertrand Todesco

LoliRock © 2013 Marathon Media MFP
Avec la participation de France Télévision
et The Walt Disney Company France

Novélisation : Vanessa Rubio.
Conception graphique du roman : Lorette Mayon.

Hachette Livre, 58 rue Jean Bleuzen, 92178 Vanves Cedex.

Le pouvoir de l'amitié

Soudain, des cris montent du jardin.

– Aaah ! À l'aide !

– Tante Ellen ! s'exclame Iris, paniquée.

6

L'attaque

Les filles dévalent l'escalier pour se ruer à son secours. Mais elles arrivent trop tard ! La pauvre tante Ellen est emprisonnée à l'intérieur d'un énorme cristal rouge sombre, planté au milieu du jardin.

Effarée, Iris regarde autour d'elle et constate que, dans la rue, les

passants aussi sont pétrifiés ! Au bout de l'allée, elle reconnaît la silhouette des jumeaux maléfiques. Dès qu'ils aperçoivent les filles sur le seuil de la maison, ils les bombardent de cristaux rouges et verts.

Vite, Iris court se mettre à l'abri derrière une voiture avec Amaru. Elle observe la scène de loin, complètement terrifiée.

Ses deux amies s'écrient sur un ton impérieux :

– Talia, princesse de Xéris !

– Auriana, princesse de Volta !

Iris assiste, bouche bée, à leur métamorphose. Une fois de plus, leurs longs cheveux changent de couleur et leurs vêtements ordinaires se transforment en tenues magiques ! Avec leurs bijoux assortis et leur maquillage scintillant, elles sont encore plus belles que d'habitude !

Aussitôt, animées d'une nouvelle énergie, Talia et Auriana contre-attaquent en prononçant une étrange formule :

– *Cristal-retrocium !*

Un véritable mur de cristal surgit alors entre les massifs de fleurs.

– Tiens donc! C'est Talia de Xéris! J'avais entendu dire que tu t'étais échappée, mais je croyais que c'était une blague, se moque Praxina.

– Et voici ta petite copine… Comment s'appelle-t-elle, déjà? demande Méphisto.

– Auriana de Volta! crie l'intéressée.

– Jamais entendu parler! s'esclaffe Praxina.

– Tu parles trop! la coupe Talia.

Et elle lui envoie un jet de cristal bleu. Mais, pour l'éviter, Praxina exécute un saut périlleux et atterrit derrière Auriana et Talia, qui se retrouvent coincées entre les jumeaux! Sans perdre une minute, Praxina et Méphisto lancent une attaque conjointe.

Auriana réagit immédiatement en criant :

– *Cristal-armura !*

Des boucliers de cristal orange apparaissent devant et derrière elles pour les protéger de leurs assaillants. Mais les cristaux rouges et verts projetés par le frère et la sœur les détruisent petit à petit.

Toujours cachée, Iris serre les poings, impuissante. Ses amies sont en danger !

– Je suis une princesse… Je suis une princesse magique, se répète-t-elle. Je dois me battre pour sauver mon royaume… et les miens !

À cet instant, son pendentif se met à briller d'une lueur vive. Elle lance alors sur un ton déterminé :

– Iris, princesse d'Ephédia !

À ces mots, elle se transforme, comme Talia et Auriana !

Impressionnée, Iris tourne sur elle-même pour admirer sa tenue magique : un bustier agrémenté d'un nœud rose fushia, une super jupe courte à volants avec une longue traîne pailletée et des bottes hautes, le tout orné de cœurs, comme son pendentif. Ses cheveux

sont devenus roses, et ils sont encore plus longs que d'habitude !

– Waouh ! Alors je suis une VRAIE princesse…

Les jumeaux la toisent du regard, surpris. Iris se jette sur Méphisto. Celui-ci ricane :

– Très drôle ! Tu n'y connais rien en magie, alors qu'est-ce que tu comptes me faire ?

– Je vais me débrouiller avec les moyens du bord! réplique-t-elle en lui donnant un grand coup de pied dans la jambe.

– Aïe!

Méphisto tombe à genoux, interrompant son attaque de cristal.

– Ne la laisse pas te déconcentrer, imbécile! crie sa sœur, furieuse.

– J'aimerais bien, mais ça fait mal! se lamente-t-il.

Talia et Auriana sautent sur l'occasion et tendent les mains vers Praxina en criant:

– *Cristal-colidium!*

Une pluie d'échardes cristallines s'abat sur la terrible jeune fille. Elle tente de les arrêter avec son cristal rouge sombre.

– Méphisto, aide-moi! hurle-t-elle.

Celui-ci profite d'un moment d'inattention d'Iris pour la faire chuter, se redresser et reprendre son attaque de cristal. Mais, pendant ce temps, Iris, derrière lui, se concentre intensément, le front plissé. Tout à coup, une minuscule écharde de cristal rose apparaît au creux de sa main… Et *pic!* elle va se planter dans le derrière de Méphisto!

– OUILLLLLLE!

Iris n'en revient pas. Toute fière, elle s'écrie:

– Hé, je viens de faire de la magie!

Talia et Auriana lui font signe de les rejoindre.

– Viens!

Les trois filles se donnent la main pour former un cercle.

– Fais exactement comme nous, ordonne Talia.

Chacune décline le nom de son royaume :

– Xéris !

– Volta !

– Ephédia !

Aussitôt, elles se retrouvent projetées dans une dimension parallèle où apparaissent trois accessoires magiques, dont elles s'emparent : le Sceptre d'Ephédia, le Ruban de Volta et le Bâton de Xéris.

De retour dans le monde réel, chacune brandit son accessoire. Leurs forces s'unissent, et un puissant rayon magique en jaillit pour expédier Méphisto et Praxina à l'autre bout de l'univers… aux pieds de Gramorr, qui ne va sûrement pas apprécier leur échec.

– Waouh ! souffle Iris. Bien joué !

Elle lève la main bien haut.

– Topez là !

Comme ses deux amies la
regardent sans comprendre,
elle explique :

– Sur Terre, quand on réussit
quelque chose en équipe, on se tape
dans la main. Moi aussi, je peux vous
apprendre des trucs !

Talia et Auriana l'imitent en riant.

L'air soucieux, Iris s'approche ensuite de sa tante, toujours prisonnière du cristal rouge de Praxina.

– Comment va-t-on faire pour la sortir de là ?

Talia tend le doigt en s'écriant :

– *Cristal-solvenda !*

Tandis que le cristal se dissout sous leurs yeux, Talia adresse un clin d'œil complice à Iris.

– Je t'apprendrai à le faire, t'inquiète !

Tante Ellen revient alors à elle. Elle bat des paupières et regarde autour d'elle, un peu perdue.

– Que s'est-il passé ? Tout va bien, les filles ? J'ai entendu du vacarme…

Prise d'une soudaine inspiration, Iris rétorque :

– Oui, on répétait ! Parce… qu'on a formé un groupe de rock !

Tante Ellen joint les mains.

– Un groupe ? Génial ! Vous savez, je jouais dans un groupe, au lycée. Si vous avez besoin de conseils…

Une nouvelle princesse

7

Assise sur le ponton, au bord de l'eau, Iris contemple son pendentif.

– Je ne comprends pas… Pourquoi a-t-il fini par s'activer ?

– C'est pourtant évident ! s'exclame Auriana.

– Ah bon ?

Toujours sérieuse, Talia explique :

– Tu l'as activé au moment où ton pouvoir principal s'est manifesté.

– Le pouvoir de l'amitié ! complète Auriana.

Iris hoche la tête, comprenant soudain.

– Quand j'ai vu que vous étiez en danger… et tante Ellen aussi… j'ai voulu vous sauver !

Tout émue, Auriana serre Talia dans ses bras.

– Tu as vu ? Elle est adoooorable !

Mais Talia a horreur de ce genre de démonstrations d'affection.

– Auriana, arrête ! grogne-t-elle. Tu m'étouffes !

Iris soupire, satisfaite :

– C'est donc vrai… Je suis une princesse dotée de pouvoirs magiques !

Elle contemple l'horizon, et son sourire s'évanouit tandis qu'elle réalise l'ampleur de la tâche qui l'attend.

– Oui… Je suis une princesse avec des pouvoirs magiques qui doit récupérer son royaume et libérer son peuple. Pff! Ça ne va pas être facile!

Auriana pose une main rassurante sur son épaule.

– On est là pour t'aider. Et tu oublies le plus cool: on joue dans un groupe de rock! LoliRock! C'est moi qui ai trouvé ce nom. Pas mal, hein?

Iris rit.

– Super! Je vais enfin pouvoir chanter sans provoquer des catastrophes!

Elle se lève et prend une profonde inspiration avant d'entonner une chanson sur l'amitié, en l'honneur de Talia et Auriana.

D'abord douce comme un murmure, sa voix devient de plus en plus forte.

Talia et Auriana échangent un regard anxieux. Au bout de quelques notes seulement, Amaru est soulevé dans les airs par la force du chant!

Iris se tait aussitôt et, instantané-
ment, le pauvre animal retombe…
plouf ! Dans l'eau !

Talia esquisse un sourire.

– Bon, il va d'abord falloir
t'entraîner un peu… mais on est là
pour ça !

FIN

Tu as aimé cette histoire ?
Alors tourne la page pour découvrir
d'autres aventures des LoliRock
en Bibliothèque Rose !

Retrouve Iris, Talia et Auriana
pour une nouvelle aventure:

La magie de l'amour

Iris utilise ses pouvoirs pour sauver un garçon...
et en tombe éperdument amoureuse !
À tel point qu'elle n'est plus capable de chanter
ni d'utiliser sa magie ! D'abord amusées, Talia
et Auriana finissent pas s'inquiéter... Et si
les jumeaux maléfiques se cachaient derrière
cet incroyable coup de foudre ?

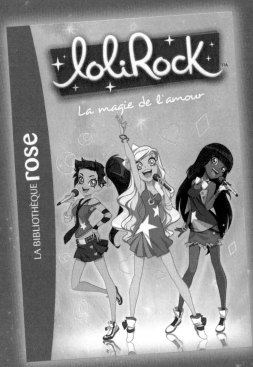

Tome 2
La magie de l'amour

Télécharge
l'application gratuite LoliRock
En cadeau une tenue
offerte !
LoliRock Series and Images from the Series © 2015 Marathon Media - MFP.
Related logos, names and distinctive likenesses are the exclusive property of Marathon Media. All rights reserved.
loliRock TM
Karaoké
Danse
Mon LoliRock
Ton code Cadeau
a dans la rubrique Mon Lolirock puis
outique, sélectionne la tenue Révolution
uis entre le code ci-dessous
Disponible sur
App Store
DISPONIBLE SUR
Google play
facebook.com/lolirockband
le site officiel lolirock.fr
loliRock TM
zodiak KIDS
MARATHON MEDIA
3
LUDO.